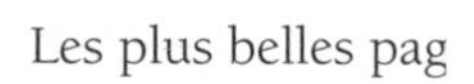

Les plus belles pag

LES DIEU

Les plus belles pages de l'Edda
de Snorri Sturluson

LES DIEUX VIKINGS

Traduction de Gérard Lemarquis

Textes et illustrations
choisis par Jón Thorisson

Illustrations de Lorenz Frölich
Mise en couleurs: Eggert Pétursson

GUDRUN

Traduction @ Gérard Lemarquis

Introduction adaptée de "L'Edda en prose ou Edda de Snorri", publiée par S.C. Griggs et compagnie, Chicago, USA, et Trübner et Co, Londres, GB, 1880.

Texte de Lorenz Frölich © Hanne Westergaard, ancien conservateur de la section de peinture et de sculpture du Musée Royal des Beaux-Arts, Copenhague.

Snorri, historiographe des dieux G Páll Valsson, Maître de conférences d'islandais, Université d'Uppsala, Suède.

Les illustrations de la page de garde publiées la première fois dans l'ouvrage "Oldnordisk Verdensbetragtning" de Finn magnussen, Copenhague 1824-1826.

Illustrations des pages 8,17,21,24,30,32,38,42,44,46,50,52 et 54 de Lorenz Frölich publiées la première fois dans "Den Ældre Eddas Gudesange", Copenhague 1885.

Toutes les autres illustrations tirées du "Nordens Guder" de Lorenz Frölich, édition limitée d'eaux-fortes, Copenhague 1873-1887. Publiées avec l'autorisation du Musée Royal des Beaux-Arts de Copenhague, Copenhague, Danemark, photographiées par Hans Petersen.

Textes et illustrations choisis par Jon Thorisson
Maquette, couverture et mise en page: Jon Thorisson et Helgi Hilmarsson

Reykjavik – Gotembourg – Oslo

4. impression 2017

ISBN 978-1-904945-88-8

Berkeley 6-24p et Goudy 14p

Imprimé en Inde

Table des matières

Note de l'éditeur

Ce livre est une édition abrégée de l'Edda de Snorri Sturluson, écrite au XIIIe siècle.

Le texte a été divisé en chapitres pour le rendre accessible. Nous présentons ici les pages où Snorri dresse un tableau clair et amusant de la vision du monde des Vikings et des dieux qu'ils vénéraient et dont ils demandaient le soutien.

Cet ouvrage se propose de donner au lecteur un aperçu de l'univers mental des anciens peuples du Nord. Or Snorri l'a fait mieux que quiconque, par son talent et son bonheur d'écriture.

Son récit de la création du monde et sa description de la famille des dieux à Asgard et Valhalle, écrits avec jubilation, révèlent une compréhension profonde de la nature humaine.

L'Edda de Snorri Sturluson a été qualifiée de "plus extraordinaire livre d'histoire des temps anciens"

Nombreux sont ceux qui ont participé à cette édition. Gérard Lemarquis a traduit le texte et en a relu les épreuves avec René Lemarquis.

Páll Valsson, maître de conférences à l'Université d'Uppsala en Suède a écrit le chapitre relatif à Snorri Sturluson et a participé à cette entreprise de diverses manières. Madame Hanne Westergaard et le personnel du Musée royal des Beaux-Arts de Copenhague ont prêté aimablement leur concours à l'entreprise.

J'adresse à tous mes remerciements.

Jón Þórisson

Introduction

Le chaos

Au début, avant que les cieux, la terre et la mer fussent créés, l'immense gouffre de Ginnungagap était informe et vide, et l'esprit de Fimbultyr s'est transporté vers l'abîme jusqu'à ce que des rivières glacées, s'écoulant de Niflheim, entrent en contact avec les flammes ardentes de Muspell. C'était avant le chaos.

Et le père universel a dit: que les gouttes de vapeur se changent en être vivant, et le géant Ymir est né au milieu de Ginnungagap. Il n'était pas un dieu, mais le père de toute la lignée des géants du mal. C'était le chaos.

Le cosmos

Et Fimbultyr a dit: que Ymir soit abattu, et que l'ordre soit rétabli. Et aussitôt Odin et ses frères, les brillants fils de Buri portèrent à Ymir une blessure mortelle, et de son corps ils façonnèrent l'univers: avec sa chair, la terre; avec son sang, la mer; avec ses os, les roches, avec ses cheveux, les arbres; avec son crâne, les voûtes du ciel, et avec ses cils, la forteresse de Midgard. Les dieux ont ensuite créé l'homme et la femme à leur image à partir du tronc de deux arbres, et ils leur ont insufflé la vie. Askur et Embla sont devenus des êtres vivants, ils ont reçu pour résidence un jardin à Midgard pour eux et leurs enfants, et cela jusqu'à la fin du monde. C'était le cosmos.

La famille des dieux

Les dieux eux-mêmes vivaient dans l'Asgard. Certains d'entre eux appartenaient à la race puissante des Ases: le père universel Odin, et Frigg sa reine, Thor le détenteur de Mjölnir, Baldur le bon, Tyr le manchot, Bragi le forgeron, Idun aux pommes de jouvence, et Heimdall, le gardien d'Asgard. Les Vanes appartenaient à une autre lignée, aimable et douce: Njörd, Freyr et Freyja, la déesse de l'amour. Mais au milieu de l'Asgard, en relation quotidienne avec les dieux, le serpent visqueux Loki, l'ami des géants. se contorsionnait.

Les Vikings offraient des sacrifices à ces dieux, leur adressaient leurs prières.

la vie à Asgard

La plupart de ces dieux étaient vénérés sur les champs de bataille, terrain d'élection des Vikings ils espéraient y survivre, mais aussi y mourir un jour. Car si les nornes, personnification du destin, leur permettaient de tomber l'épée à la main, ils ne descendaient pas jusqu'aux tréfonds de Hel. Ils étaient portés par les Valkyries jusqu'à Valhalle, où leur était insufflée une nouvelle vie et où, mieux encore, ils pouvaient poursuivre leur vie antérieure au contact des dieux. Les Ases faisaient leur bonheur de joyeuses ripailles où l'hydromel coulait à flot des cornes et où s'échangeaient paroles de sagesse et traits d'esprit. Ou alors ils se livraient à des jeux martiaux avec à la main une lance ou une épée acérée. Ils tenaient conseil sous le frêne Yggdrasill et s'ils se risquaient hors des murs de l'Asgard, c'était à l'appel de l'amour ou pour livrer bataille aux géants, leurs ennemis depuis l'origine.

Les dieux au ciel vivaient de façon analogue à leurs adorateurs sur la terre, à cette différence près que les pommes de jouvence leur garantissaient une éternelle jeunesse.

La fin de l'innocence

Mais Loki, le serpent, était parmi eux. De sombres présages attristaient le coeur de Frigg, la mère de Baldur, son fils bien aimé. Son esprit ne fut pas en repos avant qu'elle n'ait obtenu de tous ceux qui auraient pu lui faire du mal la promesse de n'en rien faire. Baldur le bon, alors, n'avait plus rien à craindre, et c'est avec insouciance qu'il accepta de servir de cible tandis que les dieux lui lancaient des javelots, des pierres et d'autres armes dont aucune n'atteignait son but. Mais le serpent Loki était plus subtil que toute autre créature créée par Fimbultyr à l'intérieur ou à l'extérieur de l'Asgard. Il alla trouver Höd, le dieu aveugle, plaça entre ses mains du gui, dirigea son bras et Baldur périt, quittant les joies de Valhalle pour la blême Hel, et ne s'en retourna jamais. Loki fut ligoté et torturé, mais l'innocence première avait déserté l'Asgard. Des guerres sanglantes éclatèrent entre les hommes; des frères tuèrent leurs frères; Les péchés de la chair gangrenèrent la société des hommes; le parjure prit la place de la vérité. Les éléments eux-mêmes furent affectés. C'est alors que survint l'hiver de trois ans Fimbulvetur, un blizzard et des tempêtes de neige qui ôtèrent toute joie au soleil.

Ragnarök

L'apocalypse approche. Tous les liens, toutes les chaînes qui unissent le ciel à la terre sont rompus, et les forces du bien et du mal s'engagent dans une guerre d'extermination réciproque. Loki s'avance avec le loup Fenrir et le serpent de Midgard, ses propres enfants, avec les géants et avec Surt, qui met le monde à feu et à sang. Odin s'avance avec les dieux et ses champions. Ils rencontrent leurs adversaires, combattent et tombent. Le loup avale Odin, mais Vidar le silencieux immobilise la mâchoire inférieure du monstre avec son pied, s'empare avec la main de l'autre mâchoire et lui arrache la gueule jusqu' à ce que mort s'en suive. Freyr se mesure à Surt, et des coups d'une violence inouïe sont échangés avant qu'il ne s'effondre. Loki et Heimdall se battent à mort, de même que Tyr et le chien Garm de la caverne de Gnipa. Thor abat le serpent de Midgard avec son marteau Mölnir, mais tombe mort lui-même terrassé par le venin du serpent après avoir reculé de neuf pas seulement. La fumée enveloppa ensuite le frêne Yggdrasill, les flammes atteignirent les cieux, et les tombes des dieux, des géants et des hommes furent englouties dans la mer. La fin approchait. C'était Ragnarök, le crépuscule des dieux.

La terre émerge à nouveau

Mais l'aube radieuse succède à la nuit. La terre redevenue verte émerge à nouveau de l'océan. Là où des mouettes ne pouvaient trouver le moindre repos sur une mer déchaînée, de grasses prairies ni labourées ni semées s'offrent à présent au soleil et ondulent sous la brise. Les dieux s'éveillent à la vie, et Baldur les rejoint. Et voici le puissant Fimbultyr, celui qui traverse les éternités. Le dieu dont le poète de l'Edda n'a pas osé prononcer le nom. Le dieu des dieux se présente aux Ases. Le moment du grand jugement est arrivé. Il réunit tous les justes à Gimli pour y vivre à jamais en paix et dans la joie. Mais les parjures, les assassins et ceux qui sont coupables d'adultère devaient attendre jusqu'à ce qu'ils soient purgés du mal. C'est le temps de la régénération.

Telles sont les grandes lignes de la religion des vikings, et les lois établies par Odin à l'intention des hommes. Les Eddas islandaises les rapportent ainsi.

Fils et filles d'Odin

Nous transmettons ce livre aux hommes dans l'espoir qu'il puisse aider quelque fils ou fille d'Odin à frayer son chemin jusqu'aux fontaines d'Urd et de Mimir et jusqu'aux pommes de jouvence d'Idun. Le fils ne doit pas dissiper mais cultiver sagement ce que son père lui a légué: Il faut chérir, maintenir et faire fructifier ce que le passé nous a laissé. Le bien ainsi prospérera de génération en génération. Le passé est le miroir du futur.

I. Les débuts

L'aube du monde

Au commencement
était le néant
ni sable ni mer
ni cieux au dessus
n'existaient sur la terre
seul le gouffre Ginnungagap
dont l'herbe était absente

Le premier monde à voir le jour fut Muspell dans la partie sud. Il est lumineux et brûlant, car il n'est que braises et flammes ardentes, et ceux qui n'y sont pas nés ne sauraient en supporter les rigueurs. Surt en garde les limites, armé d'une épée incandescente. Quand viendra la fin du monde, il partira à l'assaut des dieux, les vaincra tous et mettra le monde entier à feu et à sang. Voici ce qu'en dit la devineresse, Völuspá:

Surt progresse venant du sud
un brasier à la main
sur son épée se reflète
la fournaise des dieux morts.
Les montagnes s'effondrent
le sol se dérobe
sous les pas des femmes trolls.
Les hommes marchent vers Hel
et la voûte du ciel se fracture.

L'abîme Ginnungagap, dans sa partie nord, s'est rempli d'une lourde masse de glace et de givre, et l'eau et le vent glacé ont pris possession du gouffre. Mais le sud de Ginnugagap est devenu plus léger, sous une pluie d'étincelles et d'escarbilles venues du monde de Muspell.

Le froid et la désolation émanaient de Niflheim, mais aux abords de Muspell, tout était chaud et lumineux. Ginnungagap était devenu doux comme l'air quand le vent tombe. Lorsque l'air torride a rencontré le givre, il a fondu et des gouttes d'eau se sont écoulées. C'est alors que la vie a jailli des perles d'eau venues des contrées chaudes, et a pris forme humaine. Ymir fut le nom donné à l'être ainsi créé.

YMER

Les géants du givre

Ymir était mauvais comme toute sa lignée. Nous appelons lui et les siens les géants du givre. Il est dit que tandis qu'il dormait, il commença à suer à grosses gouttes. Alors, sous son bras gauche, poussèrent un homme et une femme, et l'une de ses jambes eut un fils avec son autre jambe. Ce sont eux qui engendrèrent les géants du givre.

La vache Audhumla est apparue après la fonte des glaces. Quatre rivières de lait sortaient de ses pis. C'est elle qui a nourri Ymir.

Elle léchait des blocs de glace salés et, dès le premier jour qu'elle les lécha, une chevelure d'homme s'est dessinée, une tête d'homme le second jour, et le troisième l'homme tout entier. Il a reçu le nom de Buri. Il était beau, puissant et de grande taille. Il a eu un fils, Bor, qui a épousé une fille du nom de Bestla.

Ils ont donné naissance à trois fils. Le premier fut Odin. Le second Vili. Et le troisième Ve. Et je suis convaincu que cet Odin, aidé de ses frères, est le maître de la terre et des cieux. Nous pensons que c'est son titre exact. N'est-ce pas le nom de l'homme le plus puissant et le plus éminent que nous connaissions?

La création du ciel et de la terre

Les fils de Bor ont tué le géant Ymir et l'ont porté jusqu'au milieu de l'abîme sans fond de Ginnungagap, et c'est ainsi qu'est née la terre. De son sang, ils ont fait la mer et les lacs, de sa chair la terre et de ses os les montagnes. Quant aux rocs et aux pierres, ils les ont fait à partir de ses dents, de ses mâchoires et des éclats de ses os brisés.

Du sang qui s'écoulait sans relâche de ses blessures, ils ont créé l'océan dont ils ont fait une ceinture autour de la terre. Le franchir serait hors de portée du commun des mortels.

Ils se sont saisis de son crâne et en ont conçu le ciel, en ont couvert la terre jusqu'à ses quatre extrémités. Puis ils ont disposé un nain à chacun de ses quatre coins. Ces nains ont pour noms: l'Est, l'Ouest, le Nord et le Sud. Puis ils ont pris les escarbilles et les étincelles qui étaient en suspension hors du monde de Muspell et les ont placées au milieu de l'immense espace du gouffre de Ginnungagap pour éclairer les nues au dessus et la terre en dessous.

Ils ont attribué une place à toutes les substances incandescentes, fixe pour certaines, mobile pour celles qui se mouvaient déjà librement dans l'espace céleste. Mais ils ont cependant délimité les couloirs où elles devaient se déplacer. Les anciens poèmes affirment que c'est de là que provient la succession des jours et des années.

La terre est ronde, et les eaux profondes de la mer l'entourent. Sur les rives de cette mer, ils ont accordé des terres aux tribus de géants, mais à l'intérieur des terres, les fils de Bor ont construit des remparts en prévision de l'hostilité des géants. Ils ont utilisé pour ce faire les cils du géant Ymir, et ils ont nommé cette enceinte Midgard. Ils ont pris également la cervelle d'Ymir, et l'ont projetée dans les cieux pour en faire les nuages.

ASK·EMBLA
ODIN·HŒNER·LO

La création de l'homme

Les fils de Bor, en marchant le long de la grève, ont trouvé deux troncs qu'ils ont ramassés et dont ils ont sculpté deux êtres humains. Le premier leur a donné le souffle et la vue; le second l'entendement et le mouvement; et le troisième l'apparence, la parole, l'ouïe et la vue. Ils leur ont donné des vêtements et des noms.

L'homme a reçu le nom d'Askur et la femme celui d'Embla. La race des hommes en est issue, qui a reçu Midgard pour y vivre.

Trois dieux
puissants et vénérés
sur la rive s'approchèrent.
Ils découvrirent alors
Embla et Askur
faibles et sans ressources
leur destinée informe

Leur souffle était court
l'esprit de même
Ils n'avaient ni sang ni voix
ni prestance
Odin leur donna le souffle
Haenir la voix
Lod leur donna le sang
et une belle prestance

LOKE
Vidar
Höbur
Höne
Brage
Balder

II. La famille des dieux

Munin
Hugin
Oðin
Freke
Gere

Odin et Frigg

Le plus ancien et le plus éminent des dieux s'appelle Alfadir, le père universel, dans notre langue. Mais dans l'ancien Asgard, il avait 12 noms.

Ses jours ne sont pas comptés, il règne sur l'ensemble de son royaume et gouverne toutes choses, grandes ou petites.

Il a créé les cieux et la terre, l'air et tout ce qui s'y trouve.

Mais sa plus grande création est l'homme. Il lui a donné une âme qui vivra et jamais ne mourra, même si son corps devient pourriture, poussière ou cendres. Tous les hommes justes vivront à ses côtés dans le lieu dit Gimli, aussi appelé Vingolf, mais les hommes vils iront à Hel, et de là à Niflheim, dans les tréfonds du neuvième monde.

Sa femme, la fille de Fjörgvin, portait le nom de Frigg. C'est d'eux qu'est issue la lignée qui habitait dans l'ancien Asgard et dans les royaumes qui y étaient rattachés. Nous appelons Ases les membres de cette famille dont tous les membres sont d'origine divine.

Odin est surnommé le père de tous parce qu'il est le père de tous les dieux. Il est aussi appelé le père des tués, car tous ceux qui meurent au combat sont ses fils adoptifs. Il leur a assigné Valhalle et Vingolf, et ils sont désignés sous le nom de champions.

THOR

Thor et Sif

Thor, le mari de Sif, est le fils d'Odin. J'ignore la lignée de Sif, mais je sais qu'elle était remarquable par ses cheveux d'or, la plus belle de toutes les femmes. Thor possède le royaume de Thrudvanguar.

Son palais, Bilskirnir, ne comptait pas moins de 600 planchers sur pilotis. C'était la plus grande construction connue des hommes. Odin en parle ainsi dans le lai de Grimnir:

> Cinq cents planchers
> compte Bilskirnir
> et quatre dizaines de mieux.
> De toutes les demeures
> que je sais dotées d'un toit
> la plus grande est celle de mon fils

Thor possède deux boucs et un char pour se déplacer. Les boucs tirent le char, et c'est pour cette raison qu'il porte le nom d'Aka-Thor, Thor le conducteur.

Il possède aussi trois biens précieux. Son marteau Mjöllnir que les géants du givre et ceux des montagnes reconnaissent aussitôt quand il le soulève, et cela n'a rien d'étonnant, car il a brisé le crâne de leur parenté. Son second bien précieux est admirable. C'est une ceinture de force, et quand il la boucle, sa puissance naturelle s'en trouve doublée. Et il possède un troisième bien de grande valeur, ce sont des gants de fer dont il ne peut être dépourvu lorsqu'il brandit son marteau.

Mais nul n'est si érudit qu'il puisse faire le décompte de tous ses exploits.

Baldur et Nanna

Baldur est le fils d'Odin et de Frigg. Il est le mari de Nanna, et possède Hringhorn et Draupnir. Il est le dieu des lamentations.

Il n'y a que du bien à en dire. Il est le meilleur, loué de tous. Il irradie, tant il est bien fait de sa personne et brillant. Il existe une fleur si blanche qu'elle est comparée aux cils de Baldur. C'est même la plus blanche de toutes les fleurs. Vous pouvez aisément en déduire la perfection de son corps et la beauté de sa chevelure.

Il est de tous les dieux le plus sage, celui qui a la langue la mieux déliée. Il est aussi le plus clément, mais aucun de ses arrêts ne peut être exécuté. Il vit au ciel, au lieu dit Breidablik. Rien d'impur ne peut s'y produire, comme il est dit ici:

Breidablik a pour nom
le lieu où Baldur
a bâti sa demeure.
En cet endroit
je le sais
le mal jamais ne prospère

Njörd et Skadi

Le troisième dieu est Njörd. Il habite au ciel au lieu dit Noatún. Il maîtrise le cheminement des vents, il calme la mer et le feu, et c'est lui que l'on invoque pour s'aventurer en mer ou pour pêcher.

Njörd a une femme du nom de Skadi, fille du géant Thjazi. Skadi voulait avoir pour résidence celle qu'avait eue son père, dans les montagnes, au lieu dit Thrymheim. Mais Njörd voulait rester près de la mer. Ils convinrent alors d'un compromis. Ils resteraient neuf nuits à Thrymheim et neuf à Noatún. Mais quand Njörd, venant des montagnes, s'est retrouvé à Noatún, il a déclaré ceci:

Je déteste les montagnes
où je ne suis pas resté
plus de neuf nuits.
Le harcèlement des loups
m'était insupportable
comparé au chant du cygne

Alors Skadi a déclaré ceci:

Le vacarme des oiseaux
m'empêchait de dormir
au bord de l'océan.
Elle m'éveillait
venant des bois
la mouette

Skadi s'est alors rendue au sommet de la montagne et a vécu à Thrymheim. Elle va souvent à skis et chasse les bêtes sauvages avec son arc.

Freyr
le dieu de la moisson

Njörd de Noatún, ultérieurement, a eu deux enfants, un fils, Freyr et une fille Freyja. Tous deux étaient forts et charmaient le regard.

Freyr est le plus glorieux des dieux. C'est lui qui décide de faire briller le soleil ou de faire tomber la pluie, et les fruits de la terre dépendent de lui. Il est invoqué pour obtenir la paix ou la richesse. Il apporte aux hommes la prospérité.

Des nains, les fils d'Ivaldi, ont construit le bateau Skidbladnir et l'ont donné à Freyr. Il est si grand que tous les Ases, cuirassés et armés, peuvent y prendre place. Dès que la voile est hissée, un vent favorable se lève, quelle que soit la direction choisie. Et il se compose de tant de pièces ingénieusement agencées qu'on peut le plier comme un habit et le mettre dans sa bourse.

Skidbladnir est une excellente embarcation et toutes les ressources de la magie ont été utilisées pour le construire.

ODUR
FREIA

Freyja
La déesse de l'amour

Freyja, de toutes les déesses, est la plus renommée. Elle dispose au ciel d'une demeure au lieu dit Folkvangar, et où qu'elle aille sur un champ de bataille, elle recoit la moitié des soldats morts et Odin l'autre moitié, comme il est dit ici:

Folkvangar a pour nom
le lieu où Freyja décide
des préséances de la halle.
La moitié des morts
elle choisit chaque jour
et Odin l'autre moitié

Sessrumnir est le nom de sa halle. Elle est vaste et belle. Quand Freyja voyage, elle prend place dans un char tiré par deux chats. Les hommes l'invoquent de préférence. On donne le titre de frú aux dames nobles en référence à son nom. Elle aime les poèmes d'amour et il est utile de l'invoquer dans les affaires de coeur.

Freyja est avec Frigg la plus éminente des déesses. Elle est mariée à Oddur. Oddur a entrepris au loin de longs voyages et Freyja depuis pleure des larmes d'or rouge. Freyja a beaucoup de noms, pour la raison qu'elle s'en est attribué plusieurs quand elle est partie à la recherche d'Oddur dans des contrées inconnues. Freyja possède le collier des Brisingar. Elle est aussi appelée Vanadis, la déesse des Vanir.

Tyr
Thor

Tyr
Le dieu des batailles

Il y a un dieu dont le nom est Tyr. Il se distingue par sa bravoure et son courage, et l'issue des batailles dépend de lui. Les hommes audacieux l'invoquent volontiers. Sa supériorité est proverbiale, et on a coutume de dire "vaillant comme Tyr". Il est aussi tellement sage qu'il est habituel de dire "avisé comme Tyr".

Voici une preuve de son courage: quand les dieux ont essayé de persuader le loup Fenrir d'accepter d'être attaché par le lien Gleipnir, la bête a refusé de croire aux promesses de remise en liberté jusqu'à ce qu'elle reçoive le bras de Tyr, en gage, dans la gueule. Mais quand les dieux ont refusé de lui rendre la liberté, le loup a mutilé le bras de Tyr.

C'est ainsi que Tyr est manchot et peu enclin à la conciliation entre les hommes.

Bragi et Idun

Un autre dieu porte le nom de Bragi. Sa sagesse, son éloquence et son sens du mot juste sont réputés. Personne ne connait aussi bien que lui l'Art poétique, et la métrique porte son nom.

La guerre entre les dieux et le peuple des Vanes est à l'origine de la poésie. Ils avaient convenu d'une rencontre de conciliation ainsi conçue: ils se rendraient à la même bassine et y cracheraient. Mais quand ils se sont séparés, les dieux ne voulant pas laisser perdre la bassine en ont fait un homme. Il a reçu le nom de Kvasir. Il était si sage qu'une question à lui posée ne restait jamais sans réponse. Il a fait de longs voyages dans le vaste monde pour enseigner la sagesse aux hommes. C'est ainsi qu'il répondit à l'invitation de deux nains, Fjalar et Galar, qui l'ont attiré dans un coin et tué. Ils ont fait couler son sang dans deux bassines et un chaudron. Puis ils ont mélangé son sang à du miel, et en ont fait l'hydromel qui rend tous ceux qui le boivent poètes ou savans.

Odin a donné l'hydromel aux Ases et aux hommes qui composent des poèmes.

Sa femme s'appelle Idun. Elle garde dans son coffre les pommes que les dieux doivent manger quand ils vieillissent, afin de rajeunir, et il en sera ainsi jusqu'au crépuscule des dieux.

V:31

Heimdall
Le protecteur des dieux

De neuf mères je suis le fils
et le fils aussi de neuf sœurs

Heimdall est le nom d'un des dieux. Il est appelé le dieu blanc. Il est grand et sacré. Neuf vierges lui ont donné naissance, et toutes étaient soeurs. Il est connu aussi sous le nom de Gullintanni en raison de ses dents en or. son cheval a pour nom Gulltoppur. Il habite au lieu dit Himinbjörg près de Bifröst. Il est le gardien des dieux et il reste assis là, à l'extrémité du ciel, pour protéger le pont de l'attaque des géants des montagnes. Il a moins besoin de sommeil qu'un oiseau. Il voit à cent lieues de distance, et la nuit aussi bien que le jour, car il est nyctalope. Il entend l'herbe pousser sur la terre, la laine sur le mouton, et bien sûr tout ce qui est plus bruyant que cela. Il a une trompe du nom de Gjöll, dont les sons traversent tous les mondes. Sa tête, dont il usait comme d'un bélier, était surnommée "épée d'Heimdall".

Voici ce qu'il en est dit:

Himinbjörg dit-on
est la maison dont Heimdall
est le souverain.
C'est là que le gardien des dieux
boit joyeusement
le bon hydromel

VIDAR
Fenris

L'aveugle, le vaillant et le superbe

Un des dieux s'appelle Höd. Il est aveugle. Mais il est trop fort. Les dieux préfèreraient que son nom n'ait pas besoin d'être prononcé, car ce qui lui reste à accomplir restera longtemps dans la mémoire des hommes.

Un autre dieu s'appelle Vidar. Silencieux, il porte une large chaussure et il est presque aussi fort que Thor. Dans les situations difficiles, il est pour les dieux d'un grand secours.

Vali est aussi le nom d'un dieu. Il est le fils d'Odin et de Rind. Ses coups ont coutume d'atteindre leur cible, il est hardi au combat.

Ull est un autre dieu, dont Sif est la mère et Thor le parâtre. Sur ses skis ou à l'arc, il est sans rival. Il est de belle prestance et a toutes les qualités d'un guerrier. Il est bon de l'invoquer dans les duels.

Forseti est le fils de Baldur et Nanna. Il possède au ciel une halle du nom de Glitnir. Tous ceux, sans exception aucune, qui lui présentent leurs litiges le quittent réconciliés. Il n'est pas de meilleur tribunal, tant parmi les dieux que parmi les hommes.

Loki
Le père des mensonges

Il en est un autre, parmi les dieux, que certains surnomment le calomniateur des dieux, le père des mensonges ou encore la honte de tous les dieux et de tous les hommes. Il est le fils du géant Farbauti et son nom est Loki. Loki est bien fait de sa personne, la mine avantageuse, mais son caractère est mauvais et changeant.

Il surpasse tous les hommes dans l'art de la tromperie, et triche sans relâche. Il n'a eu de cesse de plonger les dieux dans les difficultés les plus grandes, mais a usé aussi de ruses pour les tirer d'affaire. Sa femme a pour nom Sigyn et son fils Narvi.

Loki avait aussi d'autres enfants. Il y avait au pays des Jötuns une géante du nom d'Angurboda. Loki lui a fait trois enfants: le loup Fenrir, le serpent Midgard, et Hel. Les dieux vinrent à apprendre que les trois enfants avaient été élevés chez les géants, et une prophétie leur révéla qu'ils leur causeraient une grande infortune et de grands dommages. Le père des dieux ordonna alors de capturer les enfants et de les lui envoyer. Et lorsqu'il les a eus devant lui, il a jeté le serpent dans l'océan profond qui entoure toutes les terres. Et il a précipité Hel dans Niflheim en lui donnant le pouvoir sur neuf mondes.

III. L'AGE D'OR

L'Asgard
La ville des dieux

Les dieux ont construit pour eux-mêmes une place fortifiée qu'ils ont appelée Asgard. Les dieux et leurs tribus y ont vécu et de nombreux événements mémorables s'y sont produits, tant sur la terre que dans les airs. Au lieu dit Hlidskjalf, Odin prenait place,et de là il pouvait voir tous les mondes, observait ce que faisait tout un chacun, et comprenait tout ce qu'il voyait.

Lorsqu'Asgard fut construit, Odín a mis en place des chefs qui devaient avec lui contrôler les destinées humaines et décider de la façon dont le fort serait gouverné. Cela s'est passé au lieu dit Idavöllur, au milieu du fort. Leur toute première tâche a consisté à construire un temple avec des sièges pour eux douze, et un trône pour le père de tous les dieux. Tout y parait d'or pur, tant à l'intérieur qu'à l'extérieur, et on l'appelle Gladsheim. Ils ont érigé un autre bâtiment, très beau lui aussi, sanctuaire destiné aux déesses, et qui a reçu le nom de Vingolf.

Il y a encore un grand domaine du nom de Valaskjalf, possédé par Odin, que les dieux ont construit d'argent pur et couvert d'un toit de même métal. Le trône Hlidskjalf est placé dans cette halle, et quand le père des dieux est assis, il voit le monde entier. A l'extrémité sud du ciel se trouve la plus belle des halles, plus brillante que le soleil. Son nom est Gimli; elle survivra au ciel et à la terre, et les hommes bons et justes y vivront à demeure.

Ils ont bâti ensuite le foyer d'une forge, y ont fabriqué un marteau, des tenailles et une enclume, et ainsi équipés, ils ont conçu tous les autres outils. Ils ont donné forme au métal, à la pierre, au bois et aussi à l'or qu'ils avaient en telle abondance qu'ils l'ont utilisé pour forger leur mobilier et leurs ustensiles de cuisine.

Cette époque était communément appelée l'âge d'or jusqu'à ce qu'elle soit pervertie par l'arrivée des femmes du pays des géants.

Bifröst

Du ciel à la terre

Les dieux ont construit un pont reliant la terre au ciel, qui a pour nom Bifröst. Vous l'avez déjà vu, mais en le désignant comme l'arc en ciel. Il a trois couleurs, est très solide, est construit avec plus d'art et de savoir faire que toute autre oeuvre de charpente.

Mais aussi robuste soit-il, il s'effondrera quand les fils de Muspell l'emprunteront sur leurs montures. Leurs chevaux devront alors traverser de larges fleuves et arriveront ainsi à destination.

Bifröst est un excellent pont, mais aucune construction ne sera à toute épreuve quand les fils de Muspell livreront bataille.

Le rouge que vous voyez dans l'arc en ciel est un feu ardent. Si tous ceux qui souhaitaient le franchir le pouvaient, les géants du givre et des montagnes atteindraient le ciel.

Il existe de nombreux lieux splendides au ciel, et tous sont sous protection divine. L' un d'entre eux a pour nom Alfheim, et c'est là que vivent les elfes lumineux, tandis que les elfes de la nuit vivent dans les entrailles de la terre. Ils sont différents des autres d'apparence, mais de caractère plus encore. Les elfes lumineux sont plus beaux que le soleil en personne, tandis que les elfes de la nuit sont plus noirs que la poix.

Breidablik est un autre domaine. Il n'en existe pas de plus beau. Et il en est un du nom de Glitnir dont les murs, les poutres et les colonnes sont d'or rouge et le toit d'argent.

Plus loin se trouve Himinbjörg, résidence située là où finit le ciel près de la tête du pont, là où Bifröst rejoint le ciel.

On dit qu'un autre ciel existe au sud, au dessus de celui-ci, et même un troisième, dominant les deux autres. Nous avons des raisons de penser que ce sont les elfes lumineux qui à présent y résident.

Yggdrasill
L'arbre du monde

Le sanctuaire des dieux se trouve au coeur de cet espace, là où s'élève le frêne Yggdrasill. Les dieux, chaque jour, y rendent leurs arrêts.

Ce frêne est le meilleur et le plus grand des arbres. Ses branches se ramifient au dessus du monde entier et recouvrent le ciel.

L' arbre s'appuie sur trois racines qui sont très éloignées les unes des autres. L'une est située chez les Ases, la seconde chez les géants du givre, où se trouvait jadis Ginnungagap, tandis que la troisième s'étend vers Niflheim.

Sous la racine qui s'étire vers les géants du givre apparait la fontaine Mimir, où se dissimulent la sagesse et l'intelligence. Mimir possède la source qui l'alimente. Il tient sa sagesse de son eau qu'il boit à l'aide de la corne Gjöl. Le père des dieux, Alfadir, s'est rendu à la source pour en boire une gorgée, mais il n'en a pas obtenu le droit avant d'abandonner un de ses yeux en gage. Comme le dit Völuspá la devineresse:

je sais fort bien, Odin
où tu cachais ton oeil
c'est dans la célèbre
fontaine de Mimir.
Mimir, chaque matin
boit l'hydromel
du gage du père des tués.
En savez-vous, oui ou non, davantage?

La troisième racine du frêne s'élance dans le ciel, et sous cette racine est située une source très sacrée, du nom d'Urd. C'est là que les dieux tiennent leur tribunal. Les Ases, chaque jour, s'y rendent à cheval en franchissant le pont Bifröst, connu également comme le pont des Ases.

Les nornes du destin

Il y a une halle magnifique près de la fontaine sous le frêne, d'où sortent trois vierges dont les noms sont Urd, Verdandi et Skuld. Ces vierges président au destin des hommes, et nous les appelons nornes ou sorcières. Il existe cependant d'autres nornes qui accompagnent tous les enfants qui naissent afin de forger leur destin, et elles sont bénéfiques: celles qui appartiennent à la communauté des elfes, et celles enfin, qui sont apparentées aux nains, comme il est énoncé ici:

D'origine différente
sont les nornes je pense
elles ne sont pas de même lignée.
Certaines sont issues des Ases
d'autres des elfes
et d'autres enfin sont les filles de Dvalin

Les nornes décident du sort des hommes, et leur accordent de très inégales destinées. Certaines ont une vie heureuse et bien remplie, mais d'autres n'accèdent ni à la richesse ni à la gloire. Certaines ont une vie longue, et d'autres brève. Les bonnes nornes sont issues de bonnes familles, modèlent les vies humaines, mais ceux qui connaissent l'infortune le doivent aux nornes hostiles.

Il est dit par ailleurs que les nornes qui vivent près de la fontaine d'Urd y puisent de l'eau chaque jour, y ajoutent de l'argile proche de la source, et en arrosent le frêne afin que les branches ne se flétrissent ni dépérissent.

La vie à Valhalle

Tous les hommes tombés au combat depuis le commencement du monde sont à présent auprès d'Odin à Valhalle. Il y a une foule d'hommes, destinée à augmenter encore, mais qui paraîtra cependant bien maigre quand viendront les loups.

La foule pourtant ne sera jamais telle qu'elle ne puisse faire sa pitance de la chair du verrat Sæhrimnir. Chaque jour il est bouilli, mais réapparait vivant chaque soir.

Odin donne la nourriture de la table à deux loups, mais n'a pas besoin de se substanter lui-même. Le vin pour lui tient lieu de boire et de manger. Deux corbeaux, juchés sur ses épaules, rapportent à ses oreilles tout ce qu'ils voient et entendent. Il les envoie à l'aube survoler le monde entier et ils reviennent à l'heure de la collation du matin. Il est mis ainsi au courant de ce qui se passe d'important, et c'est pour cette raison qu'il est appelé le dieu des corbeaux.

Les champions d'Odin, quotidiennement, après s'être habillés, mettent leur armure et sortent sur le pré. Là ils s'affrontent et se terrassent. Ce n'est pour eux qu'un jeu, et quand vient l'heure du déjeuner, ils se rendent sur leur monture à la halle et commencent leurs agapes.

Mais d'autres personnes, à Valhalle, sont occupées à d'autres tâches. Elles servent les boissons, assurent le service de table et renouvellent les chopes de bière. Elles sont appelées Valkyries. Odin les envoie dans toutes les batailles pour qu'elles choisissent les hommes qui doivent y mourir et tranchent sur l'issue des combats.

IV. ATTRIBUTS MAGIQUES DES DIEUX

Le pari

Loki avait fait la farce de couper tous les cheveux de Sif. Mais quand Thor s'en est aperçu, il aurait volontiers réduit en poudre le moindre de ses os si Loki n'avait pas promis de persuader les elfes de la nuit de donner à Sif une chevelure d'or qui pousserait comme ses autres cheveux. Loki, après cela, est allé trouver les nains fils d'Ivaldi. Ils se sont mis à l'ouvrage et ont fabriqué la chevelure, mais aussi le bateau Skidbladnir et la lance propriété d'Odin dont le nom est Gungnir. Loki, alors, a mis sa tête en gage: il paria avec le nain Brokk que son frère Eitri ne pourrait jamais fabriquer trois objets aussi précieux que ceux-ci.

Quand ils sont arrivés à la forge, Eitri a mis une peau de porc dans le fourneau, et a dit à son frère Brokk de mettre en marche le soufflet et de l'actionner sans relâche, jusqu'à ce qu'il vienne retirer de la forge ce qu'il y avait mis. Mais Eitri n'était pas sitôt sorti qu'une mouche s'est posée sur la main de Brokk et l'a piquée. Il a continué cependant à souffler jusqu'à ce que le forgeron vienne retirer l'objet de la forge. Et il en a sorti un verrat dont les soies étaient d'or.

Eitri, ensuite, a mis de l'or dans le fourneau et a demandé à Brokk de se remettre à l'ouvrage jusqu'à son retour. Mais la mouche, sur ces entrefaites, est arrivée, s'est posée sur son cou et l'a piqué deux fois, aussi fort que précédemment. Il n'en a pas moins continué sa tâche jusqu'à ce que le forgeron sorte de la forge l'anneau d'or appelé Draupnir.

Eitri a mis ensuite du fer dans le fourneau et a dit à Brokk de souffler, le mettant en garde que tout serait gâché s'il s'interrompait. La mouche s'est alors posée entre ses deux yeux et lui a piqué les paupières. Le sang a coulé dans ses yeux si bien qu'il a été aveuglé. Il a essayé de chasser la mouche de la main, mais le soufflet, alors est retombé. Le forgeron, au même instant, est arrivé et a déclaré qu'il s'en fallait d'un fil que tout soit gâché. Il a sorti ensuite un marteau de la forge, l'a confié à son frère Brokk en lui demandant de les porter à Asgard pour tenir le pari.

Sortilèges

Quand Loki et les frères ont amené leurs merveilles, les Ases ont pris place au tribunal, les arrêts d'Odin, de Thor et de Freyr devant faire autorité. Loki a donné la lance Gungnir à Odin, la chevelure destinée à Sif à Thor et le bateau Skidladur à Freyr. Et il a expliqué la nature de ces attributs: la lance ne manquerait jamais son but, la chevelure pousserait sur le crâne de Sif, et Ridbladnir, aussitôt sa voile hissée, trouverait une brise favorable quelle que soit sa direction. Mieux, il serait pliable comme une pièce de tissu et pourrait à loisir tenir place dans une bourse.

Brokk ensuite présenta ses propres merveilles. Il a donné la bague à Odin, en lui disant que toutes les neuf nuits, huit autres, aussi lourdes, s'en égoutteraient. A Freyr, il a donné le verrat, en lui disant qu'il pourrait s'élancer dans les airs, franchir la mer la nuit comme le jours plus rapide que le courrier le plus véloce, et que jamais il ne ferait si sombre, la nuit ou dans l'univers des ténèbres, que le verrat ne puisse tout illuminer, tant ses soies étaient brillantes. Il a donné enfin le marteau à Thor en lui disant que rien ne lui résisterait et qu'il pourrait frapper à volonté, jamais le marteau ne s'abîmerait. Le marteau pouvait être envoyé très loin, il lui reviendrait toujours dans les mains. Et s'il le désirait, il pourrait diminuer de taille et tenir dans sa chemise. Il avait cependant un défaut: son manche était plutôt court.

Le jugement

Le marteau était la plus précieuse de toutes les richesses, et garantissait la meilleure des protections contre les géants du givre: tel fut le jugement des dieux. Le nain avait gagné son pari.

Loki a proposé de racheter sa tête, mais le nain lui a dit que c'était hors de question. "Essaie de m'attraper!" lui dit Loki. Mais quand le nain a essayé, Loki était loin. Loki avait des chaussures qui lui permettaient de franchir les airs et la mer. Le nain a voulu alors couper sa tête, mais Loki a fait valoir que le nain possédait sa tête, mais pas son cou. Le nain s'est emparée´alors d'une lanière et d'un couteau et a essaye´de percer des trous dans les lèvres de Loki pour les coudre l'une à l'autre, mais le couteau ne pénétrait pas. Il a dit alors que le poinçon de son frère conviendrait mieux, et à peine le mot fut-il lâché que le poinçon est apparu. il a percé les lèvres et les a cousues, mais Loki est parvenu à extirper la lanière des fentes.

LOKE

Note sur la présente édition

Le savant et historien Snorri Sturluson (1179-1241) a écrit l'Edda en prose vers 1220. L'Edda a été rédigée comme un manuel à l'intention des poètes. Il se compose de quatre parties distinctes: Prologue, Mystification de Gylfi, Art poétique et Métrique.

La plupart des textes contenus dans cet ouvrage proviennent de la Mystification de Gylfi, où le roi Gylfi s'entretient avec trois créatures divines dont les noms sont le Très Haut, l'Egal du Très Haut, et le Troisième. Cette forme a été abandonnée dans le cadre de cette édition.

Certains épisodes dont Snorri traite à plusieurs reprises dans son Edda ont fait ici l'objet de chapitres distincts. Le texte a été souvent sensiblement abrégévié (mais jamais modifié). L'ordre du texte diffère quelquefois également de l'édition originale.

Rien n'a été ajouté au texte, à l'exception de deux strophes de Völuspá, dans le chapitre consacré à la création de l'homme.

Snorri Sturluson
L'historien des dieux

Snorri Sturluson est né en 1179 (ou peut être en 1178) dans une des familles les plus puissantes d'Islande, les Sturlungar. Sa parenté a porté une lourde responsabilité dans la chute du vieux système des clans, car en cherchant continuellement à augmenter son pouvoir et son influence, elle a détruit l'équilibre fragile entre les six familles qui détenaient la réalité du pouvoir. Toute l'Islande fut alors plongée dans la guerre civile, ce qui donna au roi de Norvège Hákon l'occasion rêvée d'intervenir et de s'emparer du pays en 1262.

La richesse et la puissance attendaient Snorri, mais la providence a voulu que la culture et l'étude président à ses années de formation. Enfant, il fut confié au clan d'Oddi, au sud de l'Islande, centre de la vie intellectuelle de l'époque. Plusieurs générations de la famille d'Oddi avaient étudié sur le continent, et ce milieu cultivé, beaucoup plus cosmopolite qu'ailleurs en Islande. eut une influence déterminante sur la formation intellectuelle et la personnalité du jeune Snorri.

Deux traits de caractère distincts s'opposaient en lui, sans se départager: d'un côté une soif inextinguible de puissance et de richesse, et de l'autre un esprit vif et curieux dont la vocation était d'écrire. Snorri, toute sa vie, a æuvré pour devenir un des chefs les plus riches d'Islande, tout en se consacrant personnellement au même moment à la Littérature et à l'étude. Mais la lutte pour le pouvoir a précipité sa perte. Snorri s'était allié au noble Skúli Bardarson contre le roi Hákon de Norvège. Mais le roi, dès qu'il l'eut emporté, mit à mort Skúli. Puis il décida de se venger également de Snorri et envoya un groupe d'hommes armés l'assassiner dans sa ferme en 1241, dans l'Ouest de l'Islande. Ironie du sort, le roi de Norvège retirait la vie à l'homme qui plus que tout autre avait immortalisé la monarchie norvégienne en s'en faisant l'historiographe dans des pages immortelles.

L'oeuvre majeure de Snorri, outre l'Edda, est le Heimskringla, un recueil de sagas retraçant dans leur continuité l'Histoire des rois de Norvège de 400 avant JC jusqu'à 1200. La plupart des médiévistes estiment qu'il est également l'auteur de la saga d'Egill Skalla Grimsson, une des oeuvres maîtresses de la grande période. De toutes les biographies des rois de Heimskringla, la saga du roi Olaf le Saint mérite d'être louée particulièrement. Les dons brillants de narrateur de l'auteur et sa maîtrise du matériau historique y font merveille. Snorri ne se distingue pas fondamentalement des historiens européens de son époque quant à la conception de l'Histoire et à l'utilisation des faits. Mais Snorri est extrêmement fidèle à ses sources, il respecte ses données, évite toute exagération et d'avoir recours aux interprétations subjectives ou à l'exégèse.La maîtrise remarquable du style fait tout simplement de la saga d'Olaf le Saint, à mon avis, un des livres les plus magnifiquement écrits qui soient.

L'Edda de Snorri Sturluson est de loin notre référence principale sur le savoir et les croyances de l'âge des Vikings. C'est aussi la seule œuvre dont il ait sans contestation la paternité. Son nom apparait dans le manuscrit le plus ancien, le Codex Upsaliensis, copié, estime-t-on, peu après 1300, un peu plus d'un demi-siècle après la mort de l'auteur. L'oeuvre est divisée en quatre parties: un Prologue, la Mystification de Gylfi, un Art Poétique et un Traité de Métrique. Ecrite dans la même veine et le même style que d'autres oeuvres islandaises de la même époque, elle reprend à son compte l'idée communément admise alors de l'origine divine de la monarchie et Snorri fait remonter aux dieux la lignée des rois de Suède. Mais, et c'est en cela que son génie éclate, il est le seul à livrer une telle mine d'informations sur la création du monde et les hauts faits des dieux. Snorri sait donner vie à l'érudition et décrire de façon distrayante l'état des connaissances dans sa description, qui ne manque jamais d'humour, des qualités et des défauts des dieux. Ces dieux sont décrits comme humains et faillibles, mais ne perdent jamais leur dignité fondamentale.

Mais l'Edda est aussi un livre de référence pour les poètes.

Dans son Art Poétique, Snorri explique les épithètes mythologiques complexes et les métaphores de l'ancienne poésie, tandis que la métrique brosse le tableau de cent mètres traditionnels différents.

Snorri Sturluson apparait à la fois comme un esprit appartenant à la tradition européenne érudite, et comme un écrivain s'adressant au commun des mortels, et ayant un sens aigu de la meilleure façon de raconter une histoire.

Il fait de la vie des dieux quelque chose de réellement drôle à lire. Son oeuvre est le produit d'une connaissance approfondie de la tradition littéraire et comme une combinaison unique d'Histoire et de fiction, cette combinaison qui précisément a donné naissance à la Littérature islandaise. Mais bien qu'écrivant en Islande et utilisant des sources islandaises, son point de vue, toujours, est universel. Il est parfaitement conscient que sa matière est l'héritage commun de la Scandinavie, et donc de l'Europe. Son oeuvre est un document inestimable sur la façon dont les Vikings concevaient l'existence et le cosmos.

Páll Valsson
Maître de conférences, Université d'Uppsala, Suède.

Lorenz Frölich

Lorenz Frölich (1820-1908), venait d'une famille danoise ouverte sur le monde. Il poursuivit en Allemagne en 1840 des études artistiques commencées au Danemark, et sa vocation pour les sujets historiques se révéla très tôt. En 1846, il se rendit en Italie où il demeura cinq ans, puis à Paris où il vécut de façon presqu'ininterrompue de 1851 à 1871.

Mais son intention de peindre des motifs historiques ne se réalisa qu'en partie. Ce sont ses dessins et son talent d'illustrateur qui l'ont rendu célèbre. Des dessins inspirés par des vers du poète danois Oehlenschäger, en 1844, ont fait sa réputation, de même que ses illustrations pour l'Histoire du Danemark de Fabricius en 1852. Une série de livres destinés à la jeunesse suivit ensuite, et certains connurent un franc succès comme celui consacré à sa propre fille "Melle Lili". Mais ce sont les dessins qu'il exécuta pour illustrer les contes d'H.C.Andersen qui ont fait sa consécration.

Il convient de citer aussi une série de gravures inspirées par des chefs d'oeuvres littéraires (Amour et Psyché, 1862), mais aussi bien sûr "Thor et Loki à Utgard" et "Les dieux nordiques (1874-1883) basées sur des épisodes de la mythologie du Nord. Animé d'une imagination fertile, il recrée l'Univers depuis longtemps disparu d'hommes puissants et de femmes indomptables. Nous y retrouvons le talent épique de Frölich, son sens de l'humour et son flair pour le détail juste.

Frölich illustrera au soir de sa vie l'Edda en vers dans une traduction du Danois Gjellerup. Ce sont des dessins sans fioritures qui respectent les contraintes de la page. Des silhouettes stylisées et le texte d'accompagnement se suffisent à eux-mêmes.

Frölich eut rarement l'occasion de porter sur la toile son inspiration mythologique. Citons cependant un "Thor sur son chariot" et une "Mort de Baldur" peints entre 1853 et 1857 pour un manoir du sud du Danemark. Ces peintures sont aujourd'hui exposées à l'Académie Snoghöj. Il signa encore "Gefjun laboure Sjælland en 1882, pour la reconstruction du château de Fredriksborg. Mais dans aucune de ces oeuvres, néanmoins, on ne retrouve l'atmosphère intense des illustrations inspirées par les dieux du Nord ou l'Edda.

Hanne Westergaard
ancien conservateur des collections de peinture et de sculpture, Musée royal des Beaux-Arts à Copenhague.

Index des noms propres

Alfheim, résidence des elfes lumineux au ciel

Alfadir, un des nombreux noms d'Odin

Angurboda, une géante, mère des enfants de Loki: le loup Fenrir, le serpent de Midgard et Hel

Asgard, Le territoire des Ases. Il est situé au milieu du monde et relié à Midgard par le pont arc-en-ciel Bifröst

Ases, les dieux

Askur, le premier homme

Audhumla, la vache qui a nourri Ymir et a dégagé Buri de la glace, grand-père d'Odin

Baldur, le dieu blanc, mari de Nanna, fils d'Odin et de Frigg. il vit à Breidablik, dans les cieux

Bestla, femme de Bor, mère d'Odin

Bifröst, le pont arc-en-ciel qui relie Asgard à Midgard

Bilskirnir, la Halle de Thor, dans le royaume de Thrudvangar

Bor, fils de Buri, père d'Odin, Ve et Vili

Bragi, père de la poésie, mari d'Idun, fils d'Odin et de Frigg

Breidablik, la halle de Baldur à Asgard

Brokk, nain frère d'Eitri

Buri, père de Bor, la vache Audhumla l'a dégagé d'un bloc de glace

Champions, guerriers morts sur le champ de bataille et vivant avec Odin à Valhalle.

Draupnir, l'anneau d'or d'Odin, qui se multiplie par huit toutes les neuf nuits

Dvalin, un nain

Eitri, un nain. Voir Brokk

Embla, la première femme

Le père des tués, un des nombreux noms d'Odin

Fenrir, le loup, fils de Loki et de la géante Angurboda

Fensalir, la halle de Frigg à Asgard

Fimbulvetur, hiver de trois ans à la veille de Ragnarök

Fjörgvin, père de Frigg

Folkvangur, résidence de Freyja à Asgard

Forseti, fils de Baldur et de Nanna. Est invoqué pour trancher les différends

Fontaine de Urd, sous les racines d'Yggdrasill, où les dieux tiennent leur cour de justice

Frey, dieu de la fertilité, fils de Njörd

Freyja, déesse de l'amour, fille de Njörd, femme de Oddur

Frigg, la plus éminente des déesses, femme d'Odin et mère de Baldur

Garm, chien monstrueux, se bat contre Tyr à la fin du monde

Géants. Il y a les géants du givre et les géants des montagnes

Gimli, la plus belle halle du paradis, le meilleur endroit pour vivre après la fin du monde

Ginnungagap, l'abîme séparant Muspell de Niflheim

Gjöll, la trompette d'Heimdall, dont les sons s'entendent d'un bout du monde à l'autre

Gladsheim, temple de l'Asgard, lieu de rencontre d'Odin et des douze dieux

Gleipnir, le lien dont le loup Fenrir ne put se défaire, composé de six éléments: le bruit des pas des chats, la barbe des femmes, la racine des montagnes, les tendons des ours, le souffle d'un poisson et la bave d'un oiseau

Glitnir, la halle de Forseti dont les colonnes sont en or et le toit en argent

Gnipa (la caverne de Gnipa), à l'entrée de Niflheim, où habite le chien Garm

Grimnir, un des noms d'Odin

Gullintanni, un des noms d'Heimdall, qui avait des dents en or

Gungnir, la lance d'Odin qui ne rate jamais sa cible

Heimdall, le gardien des dieux

Hel, la fille de Loki, gouverne de neuvième monde à Niflheim

Himinbjörg, résidence d'Heimdall à Bifröst

Hlidskjalf, trône d'Odin, d'où il dominait le monde entier

Höd, le dieu aveugle, meurtrier de Baldur le bon

Hringhorni, le bateau de Baldur

Idavöll, au centre d'Asgard

Idun, gardienne des pommes de jouvence, femme de Bragi

Ivaldi, père des nains qui ont construit Skidbladnir, le navire de Freyr

Kvasir, un homme façonné par les dieux avec de la salive

Loki, celui par qui le mal arrive, fils d'un géant, père du serpent de Midgard, du loup Fenrir et de Hel

Midgard (le serpent de), un des enfants de Loki. Vit au milieu de l'océan dont il fait le tour. Se mord la queue

Midgard, une forteresse construite par les dieux et concédée aux hommes qui y vivent. Ses murs ont été construits avec les cils d'Ymir

Mimir, possède la fontaine de la sagesse et de la compréhension près d'Yggdrasill

Mjölnir, le marteau de Thor

Muspell, le premier monde à voir le jour

Nanna, la femme de Baldur

Narvi, le fils de Loki et de Sigyn

Nastrand, l'espace où les meurtriers et les parjures vivent après la fin du monde

Le collier des Brisingar, le collier de Freyja, réputé avoir des propriétés magiques

Niflheim, le neuvième monde

Njörd, le dieu du vent de la mer et du feu. Invoqué pour obtenir richesse et prospérité. Mari de Skadi, père de Freyr et de Freyja

Noatún, la halle de Njörd à Asgard

Oddur, le mari de Freyja

Odin, le père universel. Le plus ancien et le plus important des dieux

Ragnarök, le crépuscule des dieux, la bataille finale où toutes les forces du mal se battent contre les dieux

Rind, la mère de Vali

Sessrumnir, la halle de Freyja dans les cieux

Sif, la femme de Thor

Sigyn, femme de Loki et mère de Narvi

Skadi, déesse du ski et de la chasse, fille du géant Thjazi, femme de Njörd

Skidbladnir, le navire de Freyr

Skuld, une des trois nornes à la fontaine du destin

Surt, un géant gardien de Muspell

Sæhrimnir, verrat à Valhalle que les champions nourrissent, qui est bouilli chaque jour et revient vivant chaque soir

Thjazi, géant, père de Skadi

Thor, dieu du tonnerre, le plus éminent des dieux après Odin son père

Thrudvangar, royaume de Thor à Asgard

Thrymheim, résidence de Thjazi, où sa fille Skadi a élu résidence après la mort de son père

Tyr, dieu manchot des braves, fils de Frigg

Ull, dieu de la chasse et du ski, fils de Sif

Urd, une des trois nornes, à la fontaine du destin

Valfadir, père-des-tués-au-combat, un des nombreux noms d'Odin

Valaskjalf, résidence d'Odin à Asgard, dont les murs et le toit sont en or

Valhalle, la halle d'Odin à Asgard, où se retrouvent tous ceux qui sont morts au combat

Vali, dieu des batailles et de l'adresse au tir, fils d'Odin

Valkyries, les vierges d'Odin, qui servent à Valhalle, et se rendent sur les champs de bataille où elles déterminent l'issue des combats.

Vanheim, le royaume où vit le peuple des Vanes

Ve, fils de Bor et de Bestla

Verdandi, une des trois nornes à la fontaine du destin

Vidar, le dieu silencieux, presque aussi fort que Thor. Tue le loup Fenrir à Ragnarök

Vili, fils de Bor et de Bestla

Vingolf, sanctuaire des déesses de l'Asgard

Yggdrasill, l'arbre du monde au centre de l'univers

Ymir, la première créature vivante, un géant. Ancêtre de la race malfaisante des géants